マステで素敵にアレンジ

楽しいギフトと飾りつけ

簡単ラッピング＆おうち時間のアイテム

CONTENTS

chapter 1 ラッピングこもの×マスキングテープ

chapter 2 プチギフト×マスキングテープ

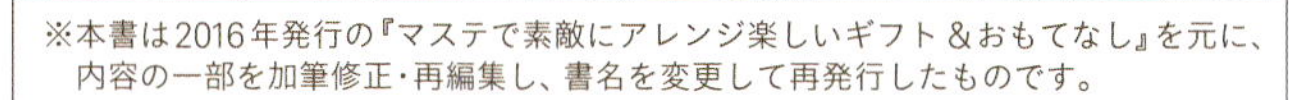
※本書は2016年発行の『マステで素敵にアレンジ楽しいギフト＆おもてなし』を元に、
内容の一部を加筆修正・再編集し、書名を変更して再発行したものです。

chapter 3 おうち時間×マスキングテープ

マスキングテープの紹介

この本のプロセス解説で使用しているマスキングテープの一覧です。

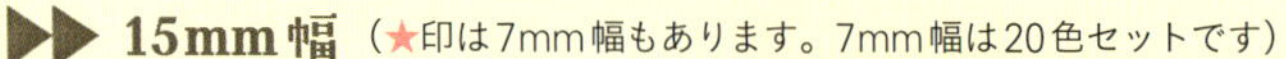

▶▶ 15mm幅 （★印は7mm幅もあります。7mm幅は20色セットです）

▶▶ 30mm幅 （★印は2柄1セットでの販売です）

図鑑・鉱物

重ねるテープ・くま&りす

チケット

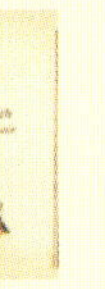
図鑑・動物

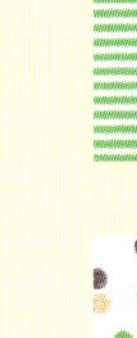

★ボーダー・グリーン

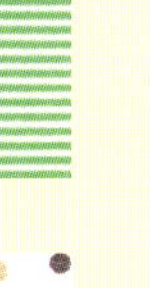
★ストライプ・シルバー

★ドット・金

★ドロップ・ラベンダー

★ボーダー・珊瑚

★ドット・アプリコット

▶▶ 20mm幅

flower

フラッグ

▶▶ 45mm幅

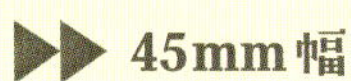

セット・入れもの

▶▶ 50mm幅

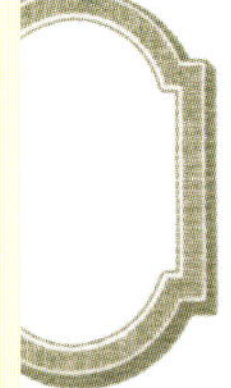

額・金 R

▶▶ 6mm幅 （すべて3柄1セットでの販売です）

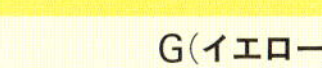
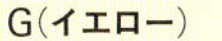
G（イエロー）

I（ショッキンググリーン）

I（ショッキングレッド）

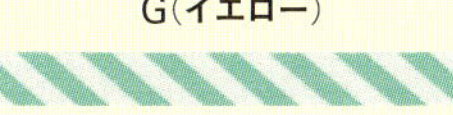
twist cord A（グリーン系）

twist cord C（金系）

deco C（金系）

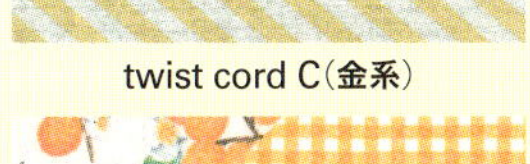
deco C（茶系）

deco D（オレンジ系）

deco E（ピンク×黄緑系）

deco F（縞柄）

deco F（水玉）

＊この本で使用しているマスキングテープは全てカモ井加工紙株式会社のものです。問い合わせ先は巻末をご覧ください。
＊作品を作る際「ちぎって使う」という指定がない限り、マスキングテープはカッターまたははさみで切って使用します。
＊掲載しているマスキングテープは2016年発行の『マステで素敵にアレンジ楽しいギフト＆おもてなし』編集時のものです。現在は取り扱いがない場合があります。

はじめに

マスキングテープはどんどん種類も増え、ますます欠かせないアイテムに。
そしてフリマアプリが身近になったり、会わない時間が続くなか、
ちょっとした工夫で「自分らしさがアピールできる」「気持ちを伝えられる」
マステを使ったラッピングこものやプチギフト、イベントアイテムは大活躍。
季節ならでは柄を使ったり、作る時間やアレンジをぜひ楽しんでください。

本書の見方

タイトルとレベル

タイトルには、マスキングテープを使った雑貨を作るときのコツや要点をまとめています。レベルは✱1つから✱5つまでの5段階。✱が少ないほど簡単です。

用意するもの

この一覧にしたがって材料と用具を揃えます。紙類や副資材などは、好みによって手持ちのものに変更してもよいでしょう。

Tips

作品の全体の特長や持ち味、作品を実際に使うときのポイントなどを写真とともに説明しています。

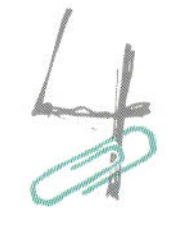

Check!

作品作りで覚えておくと便利なことや、少しテクニックが必要な部分に関して詳しく説明しています。他の作品作りに応用できるものも。

chapter 1

ラッピングこもの ×マスキングテープ

リボンやシール、ギフトタグなど
ちょっとしたラッピングに欠かせないアイテムたちを
お気に入りのマステを使って手作り！
シンプルなこん包にプラスするだけで
マステならではのかわいらしさが光る
おしゃれなラッピングのできあがり♡

くるっと巻いて留めるだけ！
すぐに作れて使えちゃうマステリボン♡

Level ★★★★★

マステの接着面を貼り合わせて
くるっと巻いてホチキスで留めるだけの
簡単かわいいマステリボン！
メッセージを書き入れてもステキ。

用意するもの

A　マスキングテープ
　　15mm幅：ボーダー・ピーチ
B　紙袋（持ち手つき）
C　カッティングマット、はさみ、
　　ホチキス、定規、油性ペン

A

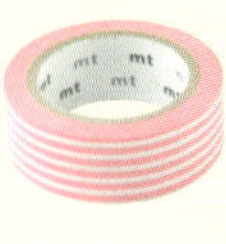

B

Tips

お気に入りの色や柄のマステでかわいいリボンを手作り♡　細幅のマステと重ね合わせて留めればさらにかわいらしく。

1

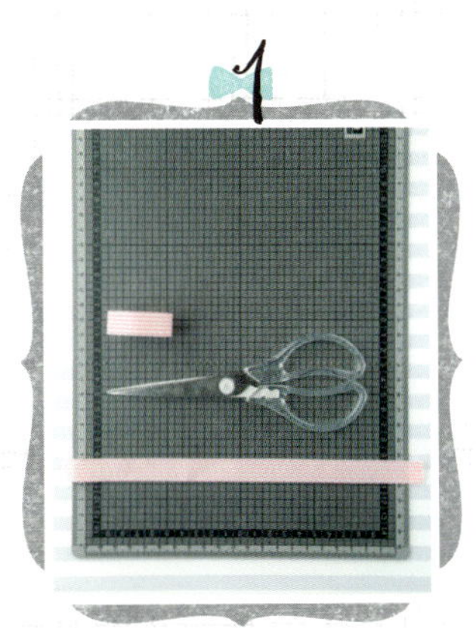

P.28を参照してマスキングテープの接着面を貼り合わせ、25cmの帯状にします。

2

1の両端を逆V字に切り、マスキングテープに油性ペンでメッセージを書きます。

3

紙袋の持ち手に2を巻き、形を整えてクロスする部分をホチキスで止めます。

Check!

水玉模様のマステは柄のズレに注意して

水玉模様のマスキングテープは、接着面を貼り合わせるときに柄がずれないように注意して貼ると、綺麗な仕上がりのリボンになります。

chapter1　ラッピングこもの×マスキングテープ

四角いコースターにマステをオン！ シンプルかわいいメッセージタグ☆

Level ＊＊＊＊＊

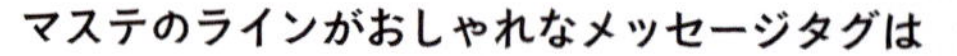

マステのラインがおしゃれなメッセージタグは
四角い形のコースターに細めのマステを
等間隔に貼るだけだから
とってもお手軽に
作れちゃうのが嬉しい。

用意するもの

A マスキングテープ
6mm幅:deco C(茶系)
B コースター(正方形型・約9cm×9cm)
C 麻ひも
D ギフトボックス
E カッティングマット、カッター、
二穴パンチ、油性ペン

Tips

100円ショップなどで売っているコースターを使うのでとっても手軽! 穴を1か所にだけ開けて、オーナメント風のデザインにしてもカワイイ。

1 カッティングマットの上にコースターを置き、目盛りを参考にしながらマスキングテープを等間隔に貼っていきます。マスキングテープの端は裏に折り込みます。

2 コースターの左右の端に、二穴パンチを使って穴を開けます。油性ペンでメッセージを書きます。

3 2の穴に麻ひもを通し、ギフトボックスに巻きつけて結びます。

chapter1 ラッピングこもの×マスキングテープ

二穴パンチで穴を開けるときのコツ

あらかじめ穴を開けたい場所に油性ペン等で印をつけ、二穴パンチの穴から印を覗いてから開けると失敗なく開けられます。

5分で作れる！マステのモチーフを切り取ったキュートなギフトタグ☆

Level ＊＊＊＊＊

大きめのモチーフが描かれたマステを
画用紙に貼り、まわりを切り取るだけの
超・お手軽ギフトタグ。
裏にはちょっとした
メッセージを添えて♪

用意するもの

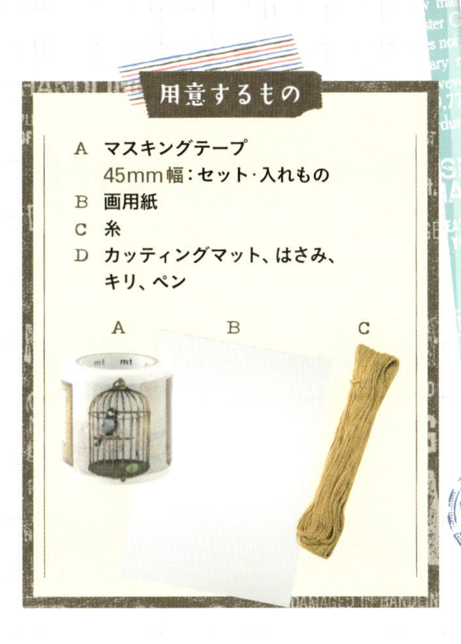

A　マスキングテープ
　　45mm幅：セット･入れもの
B　画用紙
C　糸
D　カッティングマット、はさみ、
　　キリ、ペン

Tips

マステのかわいい柄を活かせばタグ作りもお手軽☆　ここでは「セット・入れもの」という太幅のマステを使っています。

1

画用紙にマスキングテープを貼ります。

2

マスキングテープの柄の形に沿って画用紙を切ります。

3

2の上部にキリで穴を開け、糸を通して結びます。裏側にメッセージを書きます。

Check!

細かい部分の穴開けはキリにお任せ！

小さい穴を開けるときはキリを使うと便利です。怪我をしないように気をつけて、カッティングマットの上で使用しましょう。

シックにもキュートにも作れる♡ 3段ループの便利なギフトリボン

Level ＊＊＊＊＊

ふんわりしたリボンが3段重なった
おしゃれなギフトリボン！
柄入りと無地、2種類のマステを
組み合わせて作るのがポイント。

用意するもの

A　マスキングテープ
15mm幅：
ボーダー・パステルブルー、
ベビーブルー
B　カッティングマット、
はさみ、ホチキス

A

輪にしたマスキングテープを3つ重ねて作るガーリーなリボン。ラッピングに華やかさを添えてくれます。

1

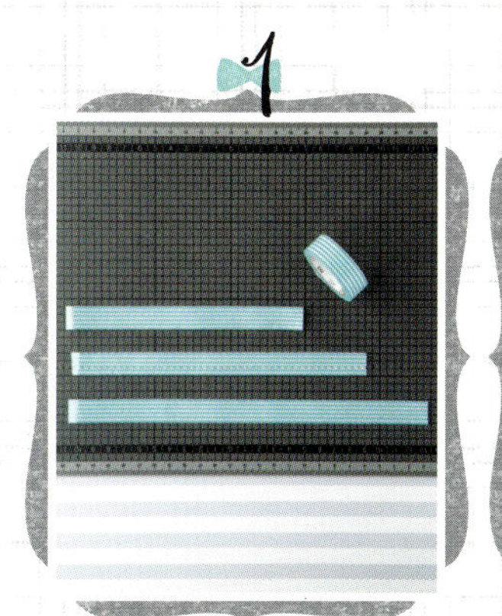

P.28を参照してマスキングテープの接着面を貼り合わせ、帯状にします。23cm、19cm、15cmを各1本ずつ作ります。

2

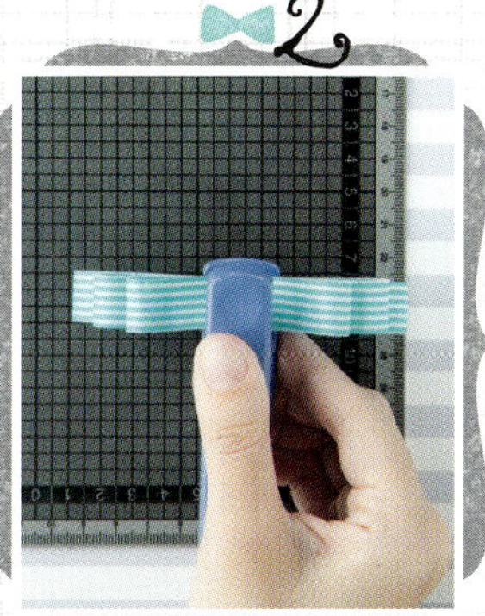

1をそれぞれ輪にし、長いものから順に重ねます。重なった部分をホチキスで止めます。

3

もう一つのマスキングテープで、2の重なった部分を2～3回巻きます。

Check!

いろいろな大きさのリボンにトライ！

マスキングテープの太さを変えるだけで大きくも小さくも作れます。写真のように幅の違うものを重ねて貼り、リボンにするとさらに華やかに。

いっぱい作ってストックしたい！ ふっくらお花の形のギフトリボン

Level ★★★☆☆

プレゼントをおしゃれに格上げしてくれる
お花の形のギフトリボンを
マステで手作りしてみましょ☆
2色のマステの色合わせが決め手！

用意するもの

A　マスキングテープ
15mm幅：ドット・金、ココア
B　カッティングマット、はさみ、
ホチキス、ボンド

Tips
マステで作る立体的なフラワーモチーフが
ラッピングを華やかに。花びらと花芯は同
系色でまとめると◎。

1

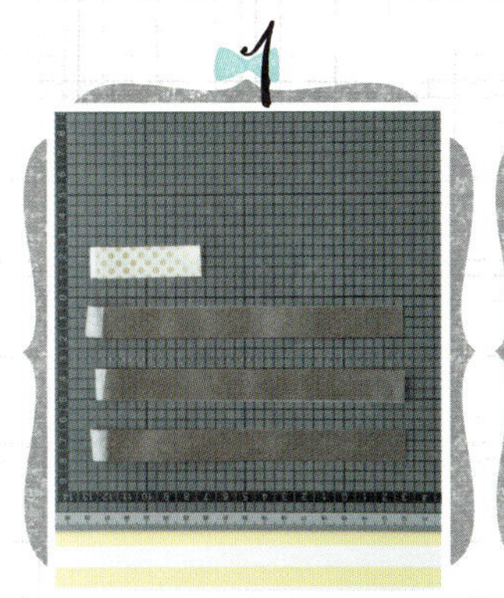

P.28を参照してマスキングテープの接着面を貼り合わせ、帯状にします。15cmを3本、5cmを1本作ります。

2

1をそれぞれ輪にします。15cmのマスキングテープで作った輪3個を写真のように放射状に重ね、重なった部分をホチキスで止めます。

3

5cmのマスキングテープで作った輪を、2の重なった部分にボンドで貼ります。

Chapter1 ラッピングこもの×マスキングテープ

Check!

リボンをさらに ゴージャスにアレンジ！

手順1より長めのマスキングテープで輪を3個作り、手順3の下に重ねてホチキスで留めれば、もうひと回り大きくて華やかなリボンが作れます。

たっぷりフリルのロゼットで プレゼントのラッピングはお任せ♪

Level ★★★★☆

人気のロゼットもマステなら
簡単オシャレに手作りできちゃう！
プレゼントに添えたり、メッセージを
書き入れたりとギフトシーンに大活躍☆

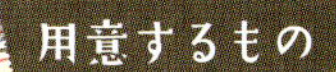

用意するもの

A　マスキングテープ
30mm幅：ドロップ・ラベンダー
15mm幅：
　ボーダー・エバーグリーン、灰紫
（他に白など目立たない色のマステを用意）
7mm幅：ベージュ
B　画用紙
C　カッティングマット、カッター、はさみ、定規、コンパス、油性ペン

A

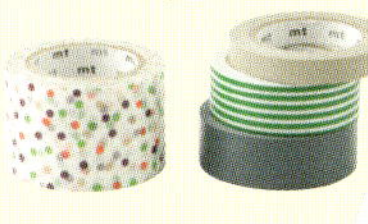

B

Tips

ロゼットの裏側はこんな感じ。留めているマステが見えるので、丸く切った紙を上から貼って仕上げてもよいでしょう。

1

P.28を参照してマスキングテープの接着面を貼り合わせ、70～80cmの帯状にします（40cmくらいのものを2本つなげて作ります）。

2

画用紙を直径4.5cmくらいの円に切り、30cm幅のマスキングテープを貼ります。目立たない色のマスキングテープをあらかじめ10枚程度短めに切っておきます。1を、じゃばらに折りながら画用紙の下に貼っていきます。

3

P.28を参照して灰紫のマスキングテープの接着面を貼り合わせ、25cmの帯状にします。中央に7mm幅のマスキングテープを貼り、斜めに折ります。両端を逆V字に切り、2を重ねて貼ります。中央に油性ペンでメッセージを書きます。

Check!

コンパスいらず！円を切り取る裏技

手順2で作る画用紙の円は、マスキングテープを使って形をなぞり、その線を切って作ってもOK。一般的な15mm幅のものを使います。

マステと折り紙の合わせ技！
かざぐるまモチーフのギフトリボン

Level ★★☆☆☆

ちょっぴり和風なプレゼントには
こんなモチーフのリボンはいかが？
折り紙とマステの色をうまくコーデして
センスを感じられるギフトに変身！

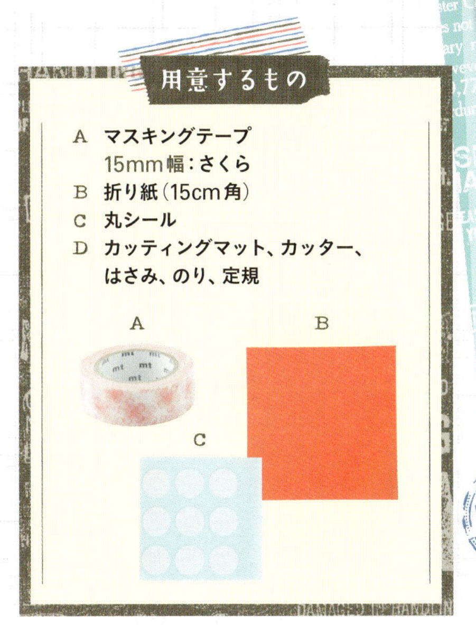

用意するもの

A　マスキングテープ
　15mm幅：さくら
B　折り紙（15cm角）
C　丸シール
D　カッティングマット、カッター、はさみ、のり、定規

Tips
折り紙の色を活かして作る、かざぐるまモチーフのリボン。表裏を逆にしてかざぐるまを折ることもできます。

1

折り紙を十字に切り、7.5cm角の正方形にします。色のついていない面にマスキングテープを貼ります。

2

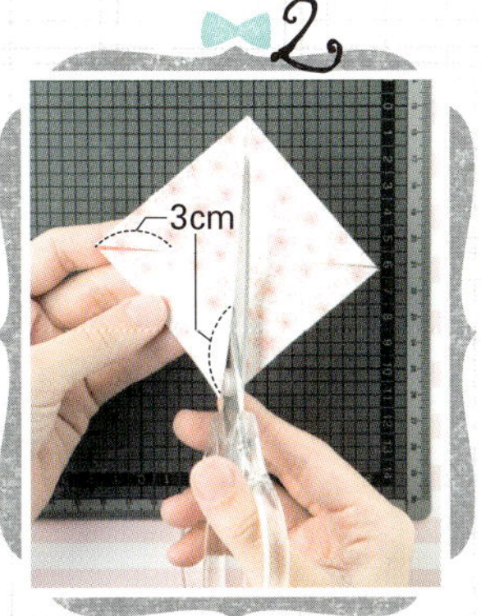

1を角から対角線に十字に折り、その線を3cmずつ切ります。

3

中央にあらかじめのりをつけておき、四方の角を中央に曲げて仮止めします。角の重なった部分に丸シールを貼ります。

Check!

かざぐるまの角が留めづらいときは

角を2か所曲げたら、一旦のりと丸シールを貼って固定します。さらに残りの2か所を曲げてシールを貼りましょう。

大好きな柄で作ろう！クラフトパンチde簡単シール♪

Level ★☆☆☆☆

マステで作るシールは手紙やラッピングに大活躍！
クラフトパンチを使えば一度にたくさん作って
ストックすることも可能☆

用意するもの

A　マスキングテープ
15mm幅：ローズピンク
6mm幅：G(イエロー)、
deco E(ピンク×黄緑系)
B　シール用紙
C　カッティングマット、
クラフトパンチ(丸型・直径約2.5cm)

Tips
マステの柄を組み合わせることも、単色のみで作ることもできるこのシール。シール用紙は100円ショップなどで購入できます。

1

シール用紙にマスキングテープを貼ります。3種類を重ねずに貼っていきます。

2

使用するクラフトパンチの大きさとマスキングテープの幅を確認します。

3

2をクラフトパンチではさみ、型を抜きます。

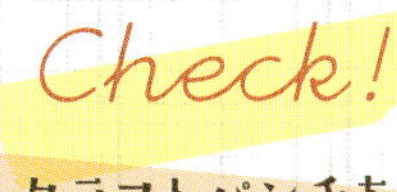

Check!
クラフトパンチを使うときのコツ

クラフトパンチを裏返した状態で紙をはさみ、マスキングテープをクラフトパンチの柄の中に収めた状態で押しましょう。

ステッカー風のシールはコレクションしたくなるかわいらしさ♡

Level ★☆☆☆☆

おしゃれなマステを見つけたら、シール風にリメイクしてストックしましょ。
プレゼントにちょこんと貼ってもかわいいし、
コラージュ風に重ね貼りしてもgood◎

用意するもの

A マスキングテープ
30mm幅：チケット
B シール用紙
C カッティングマット、カッター、はさみ

Tips

マステの大好きな柄たちがシールになっちゃう嬉しいテクニック。このシール自体をプレゼントにしても喜ばれそう☆

1

シール用紙にマスキングテープを貼ります。

2

マスキングテープの幅でシール用紙を切り、さらにモチーフごとに切ります。

3

このままでも使用できますが、モチーフの形に沿って余白を切ってもよいでしょう。

Check!

便利な優れもの☆シール用紙

シール用紙を使うことで、よりシールらしくマステがしっかりとする上に、ストックもしやすくなります。はくり紙付きではがす時も簡単！

カラフルなマステでオリジナルのラッピングペーパーを手作りしましょ！

Level ★☆☆☆☆

かわいい柄がいっぱいのマステだから、
お気に入りのラッピングペーパー作りもお手のもの☆
たくさん組み合わせてランダムなかわいらしさを楽しんだり、
チェック柄やシンメトリー柄にしたりとデザインは無限大♪

用意するもの

A　マスキングテープ
30mm幅：ドット･金
15mm幅：たまご、ラベンダー、若緑、ドット･薄藤、ドット･ピンク、ストライプ･ライラック
B　コピー用紙（A4サイズ）
C　カッティングマット、カッター、定規

Tips
マステで作るラッピングペーパーは、1枚作っておけばとっても便利♪　使いたいときに好きな大きさにコピーをします。

1

カッティングマットの上にコピー用紙を置き、3種類のマスキングテープを1.5cmの間隔を空けて貼っていきます。

2

残りのマスキングテープを縦に貼ります。

3

ラッピングをする時は2を拡大カラーコピーします。包みたいものの大きさに合わせて拡大しましょう。

chapter1
ラッピングこもの×マスキングテープ

Check!

「マステ×わら半紙」でさらにおしゃれに

わら半紙を使うだけで、ラッピングペーパーが少しアンティークな雰囲気に。シンプルな柄でもおしゃれにまとまります。

Lesson 1

マスキングテープの接着面を貼り合わせる方法

1

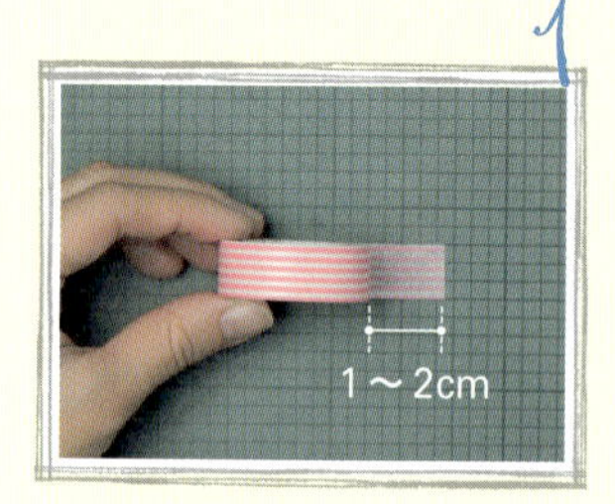

マスキングテープの接着面を、カッティングマットに端を右にして1〜2cm程度貼ります。

2

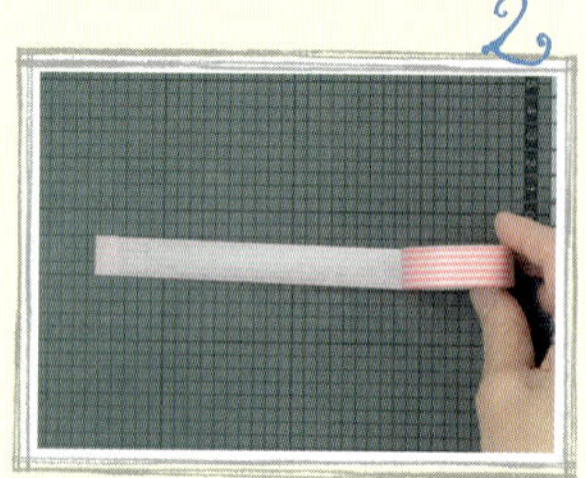

1のままの状態で、マスキングテープを右へ引っ張って引き出します。

3

引き出したマスキングテープを写真のように右手の指ではさみ、折り返します。

4

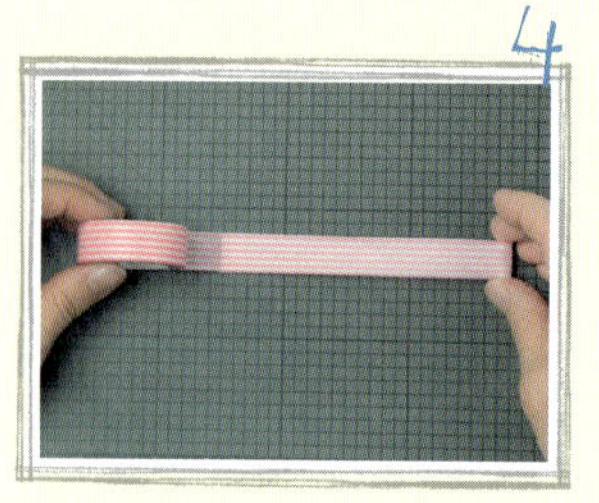

折り返したマスキングテープをそっと接着させます。その際、上下のマスキングテープがずれないよう気をつけます。

5

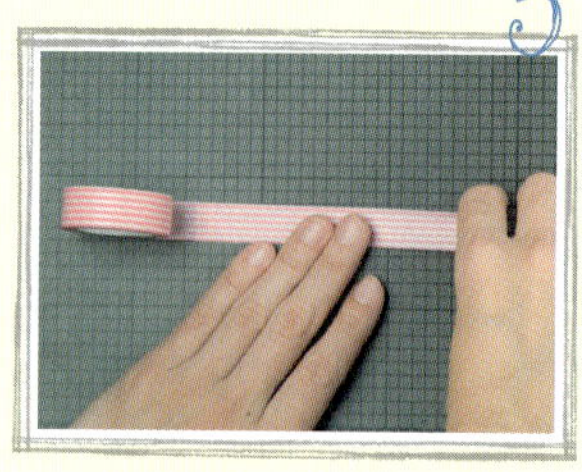

4を指で押さえながら、しわにならないように接着面を全て接着させます。

6

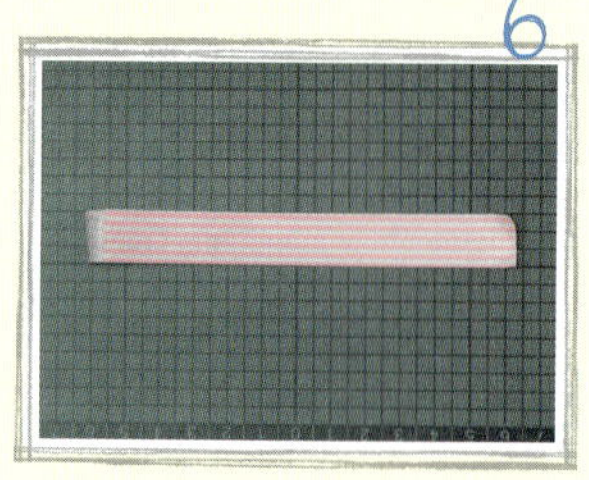

マスキングテープ本体をはさみで切り取ったところ。カッティングマットからはがすと、左側に接着面が少し残った状態のものが作れます。

7

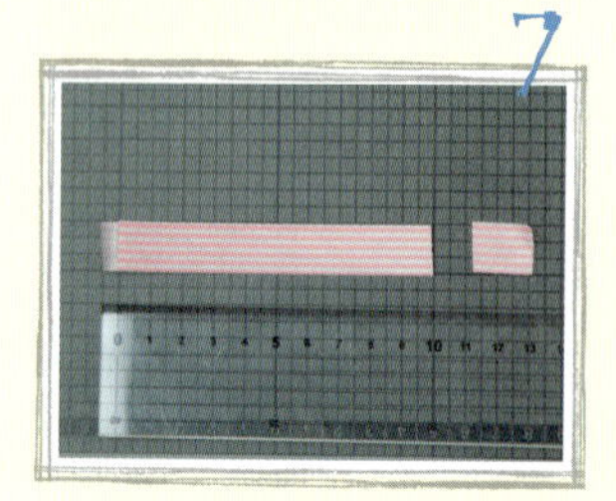

必要な長さで6を切ります。例えば「10cmの帯状にします」という指示なら、定規で10cmを測り、右端を切ります。

8

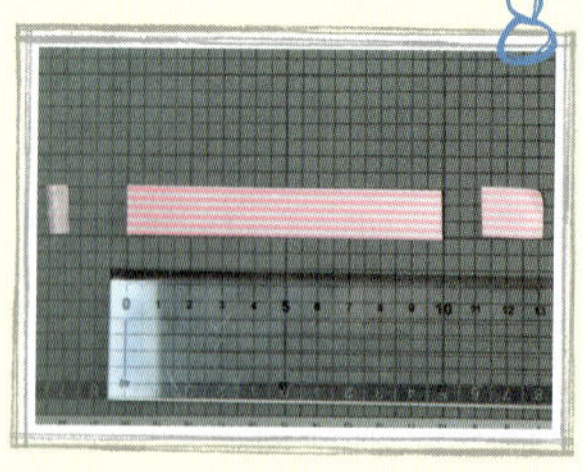

さらに左端の接着面も切り取って10cmの仕上がりにし、帯状のマスキングテープのできあがり。

☆ P.14、P15のリボンは手順6の状態のものを使います。輪にする際に接着面を使います。

☆ P.18のロゼットで70〜80cmの帯状のものを作る際は、手順6の状態のものを2本使い、接着面同士を貼り合わせます。

chapter 2

プチギフト
×マスキングテープ

袋に入れるだけ、紙に包むだけ、箱に詰めるだけ……
そんないつものシンプルな「おくりもの」も、
マステ使いの小技をぴりりと効かせるだけで
とびきりかわいいプレゼントに大変身！！
作る時間も楽しめて、受けとる側もHAPPY♡
マステならそんなギフトもアレンジ自在です。

3種類の太さのマステで ボックスをリボン風にデコ♡

Level

まるでアンティークリボンが
結んであるかのようなギフトボックスも
マステなら貼るだけで作れるお手軽さ！
太さの違う3本のマステを重ね貼りして。

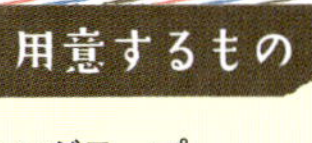

A　マスキングテープ
30mm幅：ボーダー・珊瑚
15mm幅：ワイン
6mm幅：deco F(水玉)
B　ギフトボックス
C　造花
D　はさみ、定規

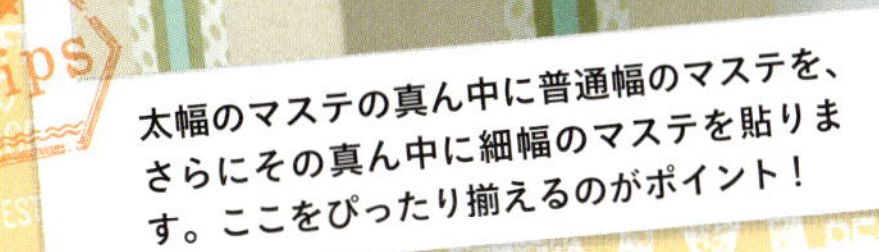

太幅のマステの真ん中に普通幅のマステを、さらにその真ん中に細幅のマステを貼ります。ここをぴったり揃えるのがポイント！

1

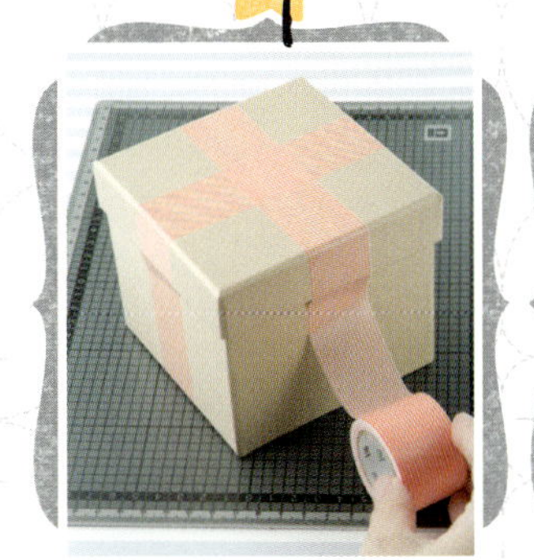

ギフトボックスに30mm幅のマスキングテープを十字に貼ります。この時、マスキングテープが箱の中央に来るように注意しながら貼ります。

2

1のマスキングテープの上に15mm幅のマスキングテープを貼ります。端は箱の下に折り込みます。

3

さらにその上に6mm幅のマスキングテープを貼ります。中央には造花を貼るか、同じ柄のマスキングテープでP.21の蝶結びのリボンを作っても良いでしょう。

Check!

P.15を参考にして上部のリボンを作ってみましょう。マスキングテープの長さはP.15と同じです。30mm幅のマスキングテープに、15mm幅と6mm幅のマスキングテープを貼ってから輪にします。

くるっと箱に巻くだけでかわいい！
マステのミニラッピングペーパー

Level

シンプルなギフトボックスには
ミニラッピングペーパーをくるりと巻いておめかし。
マステをランダムに貼ったおしゃれなペーパーで
センスをにじませて。

用意するもの

A マスキングテープ
30mm幅：ドット・金
15mm幅：ストライプ・イエロー、ボーダー・イエロー、アルファベット・金R、ドット・アプリコット、たまご
6mm幅：deco D（オレンジ系）、twist cord C（金系）
B コピー用紙（A4サイズ）
C ギフトボックス　D サテンリボン
E カッティングマット、カッター、定規

Tips

あえて箱が少し見えるくらいの幅のラッピングペーパーにするのがおしゃれ。お好みで好きなリボンを横にかけて。

1

ギフトボックスの上面の7～8割程度が隠れる幅に、コピー用紙を切ります。

2

マスキングテープを縦にランダムに貼ります。端でマスキングテープが余った場合は切って調整します。

3

2をギフトボックスに巻き、箱の下で留めます。さらにリボンや麻ひもを結んでも良いでしょう。

Check!
ラッピングペーパーを巻くときのポイント

マスキングテープを貼ると紙に張りが加わるので、ふんわりと箱に巻くよりも、折り目をきちんとつけてくるむほうが綺麗に仕上がります。

マステのちょこっと使いで封筒がかわいいミニバッグに大変身♪

Level ★★★☆☆

よくある事務的な茶封筒も
マステマジックでおしゃれなギフトバッグに！
あえてシンプルなボーダーにすることで
マステの柄が引き立ちます☆

用意するもの

A マスキングテープ
15mm幅：ボーダー・エバーグリーン
（他に白など目立たない色のマステを用意）
B 封筒（長形3号）
C 麻ひも
D カッティングマット、カッター、
はさみ、二穴パンチ、
定規

Tips
プレゼントを入れたら、上部に開けた穴に麻ひもを通してくるりと留めて。マチがあるので立たせることもできます。

1

封筒の下部11.5cmをカッターで切り、上部のみを使います。下の切り口をふさぐようにマスキングテープを貼って裏に折り、その後は2cmおきにマスキングテープを貼ります。

2

下の「Check！」を参考にして1にカッターで浅く折り目を入れ、折り線通りに折ります。

3

封筒のふたを折り、中央に二穴パンチで穴を開けます。輪にした麻ひもを穴に通して留めます。

Check!
折り目の入れ方とマチの処理

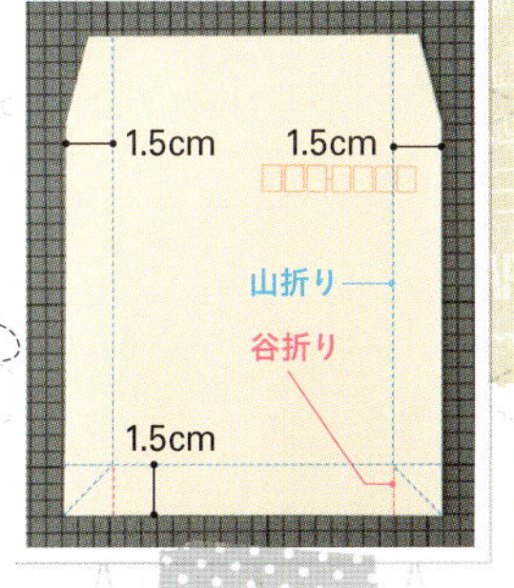

マチは底に向かって折り、目立たない色のマスキングテープで留めます。余った封筒の下部はP.60の作品に使えます。

マステの色と柄がポイント！便利な名刺サイズのミニミニ封筒☆

Level ＊＊＊＊＊

ちょっとした手紙を渡すときや
小さなお菓子をプレゼントするとき、
自分の名刺やお店のショップカードを渡すとき……。
いろんなシチュエーションで使える
マステのミニ封筒！

用意するもの

A　マスキングテープ
30mm幅：ボーダー・グリーン
15mm幅：ドット・萌黄
（他に白など目立たない色のマステを用意）
B　コピー用紙（A4サイズ）
C　糸
D　カッティングマット、カッター、はさみ、のり、定規、ボンド

Tips

窓の部分から好きな柄が見えるように調整しながらマステを貼って。内側だけでなく封筒全体にマステを貼るのもかわいい！

1

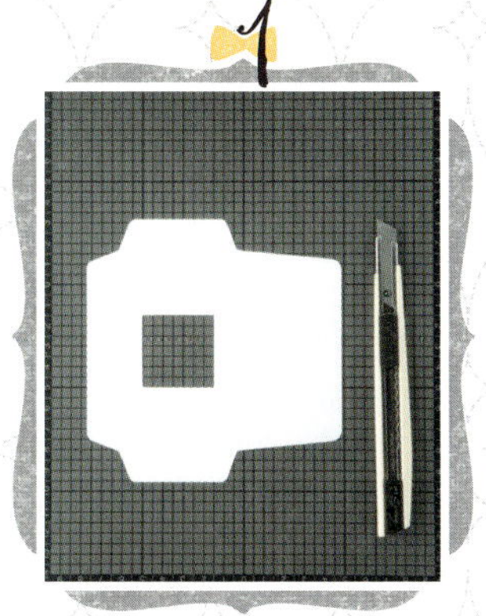

P.94の図案をコピー用紙にコピーし、図案通りに切ります。

2

30mm幅のマスキングテープを、封筒の内側になる部分に貼ります。上下のふた部分には15mm幅のマスキングテープを貼ります。

3

封筒の内側の、窓の部分に十字に糸を置き、目立たない色のマスキングテープで糸端を貼ります。封筒を折り線通りに折り、貼り合わせます。蝶結びした糸を窓の上部に貼ります。

Check!

窓部分にトレペを貼ってさらに機能的に

窓の部分の内側から、4cm角に切ったトレーシングペーパーを貼ると、内側が少し透けて見える窓付き封筒のできあがり！

クリスマスシーズンに贈ろう☆ マステのオーナメント風ギフトカード

Level ＊＊＊＊＊

キラキラしたマステを使った丸型のギフトカード。
お手紙として渡したあとは
クリスマスのオーナメントや
インテリアとして
飾ってもらうこともできちゃいます♪

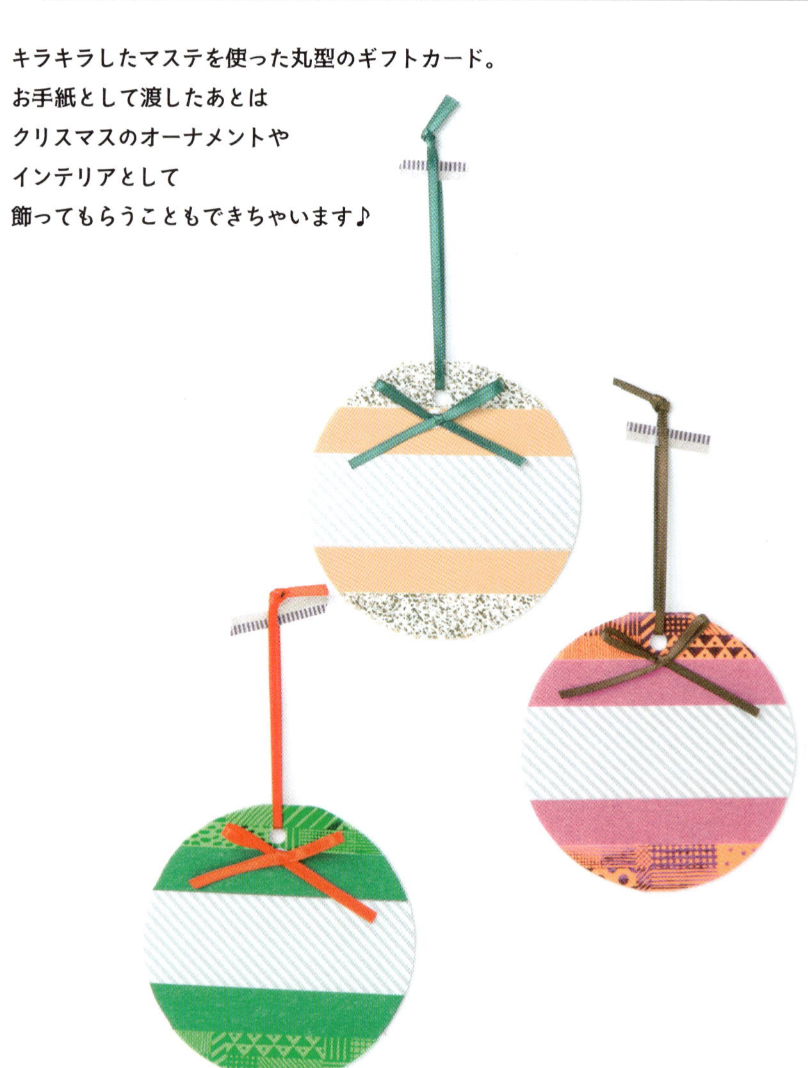

用意するもの

A　マスキングテープ
　30mm幅：ストライプ・シルバー
　15mm幅：手描き柄、ワイン
B　コースター（丸型・直径約9cm）
C　サテンリボン
D　カッティングマット、カッター、はさみ、二穴パンチ、定規、ペン

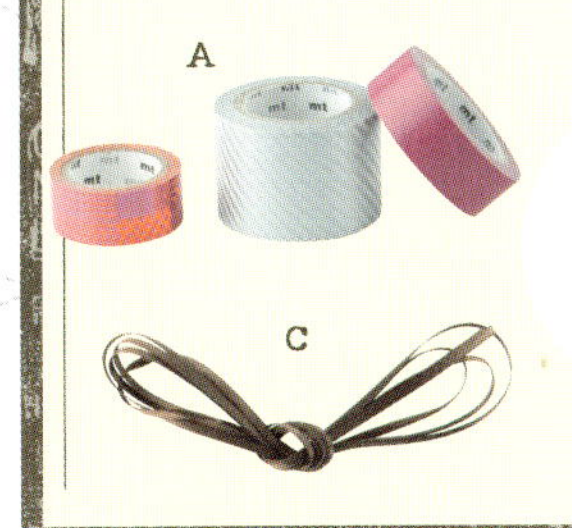

Tips

丸型のペーパーコースターを使うからとってもお手軽☆　丸型コースターは100円ショップなどで手に入ります。

1

カッティングマットの上にコースターを置き、15mm幅のマスキングテープを上下対称になるように貼ります。端はコースターの形に沿って切り取ります。

2

1の中央に30mm幅のマスキングテープを貼ります。二穴パンチで上部に穴を開け、20cmのサテンリボンを通して結びます。さらに蝶結びしたサテンリボンを貼ります。

3

コースターの裏にペンでメッセージを書きます。

Check!

コースターにマステをきれいに貼るコツ

マスキングテープはあらかじめコースターより少し長めに貼っておき、コースターを裏返してふちをなぞるようにカッターで切り取ります。

chapter2 プチギフト×マスキングテープ

マステで作る風船がキュート♡ いろんなシーンで使える手作りカード

Level ＊＊＊＊＊

いろんな色や柄のマステで作った
丸モチーフを台紙に貼って、
シンプルな二つ折りカードのできあがり☆
風船モチーフはお祝い事やサンキューカードにも相性◎。

用意するもの

A マスキングテープ
30mm幅：ボーダー・珊瑚
15mm幅：ドット・ブラック、ドット・ピンク、ストライプ・レッド、サーモンピンク、ローズピンク
B 画用紙
C コピー用紙（A4サイズ）
D カッティングマット、カッター、のり、定規、クラフトパンチ（丸型・直径約2.5cm）、ペン

Tips
ひとつだけ風船が丸穴になっているのがポイント。油性ペンを使えばカードの内側にメッセージを書くこともできます。

1
画用紙を15cm×16cmに切り、縦に半分に折ります。内側になる面の右側に30mmのマスキングテープを貼ります。反対側の面にクラフトパンチを抜きます。

2
コピー用紙に15mm幅のマスキングテープを2本貼り、クラフトパンチで抜きます。他のマスキングテープも同様に抜き、柄入りの丸型を5枚作ります。

3
1で開けた穴の近くにバランスよく2の丸型をのりで貼ります。ペンで風船の糸を書き、メッセージを書きます。

Check!

クラフトパンチがなければカッターでOK！

クラフトパンチを使うと簡単な穴開けですが、カッターで切り取ることももちろん可能。その場合は直径2.5cmをめどに切り取ります。

シンプルな便せんにマステをオン！ ぐっとかわいくなっちゃうミニ折り手紙

Level ★☆☆☆☆

いつもの折り手紙を
もっとかわいくするなら
マステにお任せ！
便せんに１本マステを貼るだけの裏技で
渡して楽しい、もらって嬉しい
折り手紙が完成☆

Tips

四角い折り手紙がぐっとかわいくなるマステのテクニック。マステの近くに「Dear ○○」「Open here！」などと書き入れても。

1

便せんの上部にマスキングテープを貼り、文面を書きます。縦に半分に折って折り線をつけます。

2

マスキングテープを貼った部分を山折りします。次に1の折り線に向かって両端を谷折りします。

3

マスキングテープが中央に来るようにバランスを見ながら、2を三等分に折ります。マスキングテープを貼った方の紙端にもう一方の紙端を入れ込みます。

Check!

最後の形の整え方

マスキングテープが中央に来るように調整しながら、全体がおおむね正方形になるように折ります。

インナーペーパーのミニギフトは おまけアイテムや手づくりアクセに♡

Level ✱✱✱✱✱

OPP袋（透明な袋）の大きさに合わせて紙を切り、
そこに思い思いのマステを貼るだけ！
中に入れるアイテムを
一層引き立てる
おしゃれなギフトバッグの
できあがり☆

用意するもの

A マスキングテープ
15mm幅：アルファベット・金 R、
ボーダー・グレー、灰紫、
ボーダー・イエロー、ベージュ
6mm幅：deco F（縞柄）
B コピー用紙（A4サイズ）
C OPP袋（A7サイズ）
D カッティングマット、カッター、
はさみ、定規

A　B　C

Tips

小さな板チョコなど、平たいものを入れるのに向いているこのミニギフト。インナーペーパーとプレゼントとの色合いも意識して。

1

コピー用紙をOPP袋に入るサイズに切ります。

2

マスキングテープを縦にランダムに貼ります。端でマスキングテープが余った場合は切って調整します。

3

2をOPP袋の中に入れ、その前面にプレゼントを入れます。OPP袋の上部にマスキングテープを貼り、封をします。端を逆V字に切ります。

Check!

マステに糸をはさみ込んでジッパー風に

手順3でOPP袋の上部にマスキングテープを貼るとき、折り線部分に細い糸を一緒にはさみ込むとジッパー代わりになってとっても便利！

透明な袋をマステでデコ☆ ちょい見えがかわいいミニラッピング

Level ＊＊＊＊＊

OPP袋（透明な袋）にマステを貼って
かわいいラッピング袋を作りましょ。
マステの柄や太さはあえてランダムに。
マステの間から見えるギフトがカワイイ！

用意するもの

- A マスキングテープ
  15mm幅：レース・カロチャ、
  ドット・薄藤、ストライプ・シルバー
  7mm幅：ローズピンク
- B OPP袋（B6サイズ）
- C リボン
- D カッティングマット、カッター

Tips

マステとマステの間から中身がほどよく見えるおしゃれなプチギフト。何を入れてもかわいくまとまるのが嬉しい！

1 カッティングマットの上にOPP袋を置き、目盛りを参考にしながらマスキングテープを等間隔に貼っていきます。

2 1の中にプレゼントを入れます。

3 OPP袋の上部を絞り、リボンで蝶結びして形を整えます。

最後のリボンが結びづらいときは

いったん袋の口をセロハンテープで巻いて止め、その上からリボンを巻くと結びやすくなります。

ちょこっとギフトにおすすめ♪ 小さいポーチみたいな簡単ミニ封筒

Level ＊＊＊＊＊

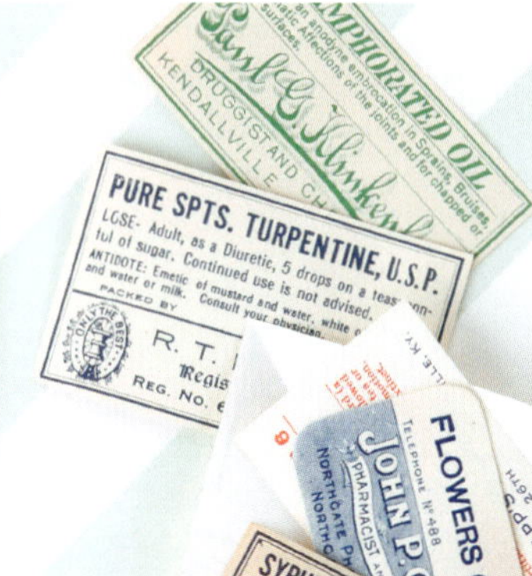

折り紙の感覚でささっと作れるポケット風のミニ封筒。
マステの柄と内側の色とのマッチングが鍵！
開いたところも閉じた形もスマート♡

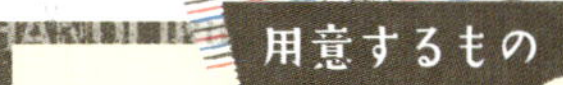

用意するもの

A マスキングテープ
30mm幅：図鑑·鉱物
B 折り紙（15cm角）
C カッティングマット、カッター、ホチキス

A

B

Tips

折り紙の色のついた方を内側にして使うから、袋の内側までおしゃれです。マステを全体に貼るのでしっかりとした仕上がりに。

1

折り紙の、色のついていない面にマスキングテープを貼ります。

2

1を対角線に十字に折り、折り線をガイドにして左右を中央に向けて折ります。この時紙端を1cm程度重ねます。

3

下部を折り上げ、紙端をホチキスで止めます。中にプレゼントを入れ、上部を折り下げて6mm幅のマスキングテープで巻いて止めます。

Check!

ふたをするときはこんな風に！

まず上部を折り下げ、全体が正方形になるように整えて、紙端を少し内側に折ります。そのあと細幅のマスキングテープを縦に貼って留めます。

透け感がなんともキュートなマステ使いのテトラパック風ギフト♡

Level ＊＊＊＊＊

トレーシングペーパーとマステの
合わせ技で作るテトラパック。
うっすらと透ける中身には
カラフルなプレゼントを入れるのがおすすめ！

用意するもの

A　マスキングテープ
15mm幅：たまご、プール・オレンジ
B　トレーシングペーパー（A4サイズ）
C　カッティングマット、カッター、定規

Tips
テトラパックの上部にリボンでループをつけてもかなりキュート。トレーシングペーパーならではの透け感が魅力☆

1

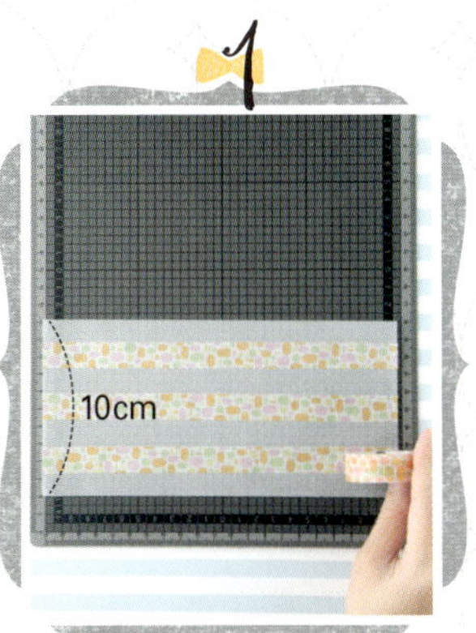

トレーシングペーパーを縦に置き、10cm幅に切ります。マスキングテープを横に3本貼ります。

2

1を縦に半分に折り、上下の端にマスキングテープを貼って封をし、袋状にします。底の辺と直角になるように袋を閉じます。

3

2にプレゼントを入れます。紙端を写真のように合わせ、マスキングテープで封をします。

chapter2 プチギフト×マスキングテープ

Check!
テトラパックの折り方のコツ

袋状になっているトレーシングペーパーの脇（左右）の線同士を合わせるようにして、底と垂直になるように折りましょう。

縦の細マステとネームプレートで 空きビンがかわいい「おくりもの」に！

Level ✱✱✱✱✱

細めのマステを等間隔に貼って
シンプルな空きビンを素敵に変身させましょ☆
タグ風の模様のマステで
ネームプレートも手作りして。

用意するもの

A　マスキングテープ
　　50mm幅：額・金 R
　　7mm幅：たまご
B　ビン（ふたつき）
C　画用紙
D　糸
E　カッティングマット、カッター、
　　はさみ、二穴パンチ、定規、油性ペン

Tips
無地の細幅マステを貼っただけのシンプルなテクニック。使用するビンはできるだけ凹凸のないものを選びましょう。

1

ビンの、貼りたい部分の長さを測っておきます。7mm幅のマスキングテープをカッティングマットに数本貼り、貼りたい長さに合わせてカッターで切ります。

2

ビンに1のマスキングテープを1本貼ります。それを起点にし、等間隔でマスキングテープを貼っていきます。

3

50mm幅のマスキングテープから好きな柄を選び、画用紙に貼って切ります。油性ペンでメッセージを書き、二穴パンチで上部に穴を開けます。穴に糸を通してビンの口に結びます。

Check!

タグの穴に糸を通す方法☆

まず糸を半分に折り、ループになった方をタグの穴へ差し込みます。次に、ループに糸端を通して引き、糸端はビンの口に巻いて結びます。

シンプルな台紙でくるむだけ！マステの色が決め手のミニラッピング☆

Level ★★★★★

マステを貼った画用紙で
クッキーやビスケットを
くるりとラッピング。
糸を十字に掛けただけの
簡単かわいいプチギフトです。

用意するもの

A マスキングテープ
6mm幅：1（ショッキンググリーン）
B 画用紙
C 糸
D カッティングマット、カッター、はさみ、定規

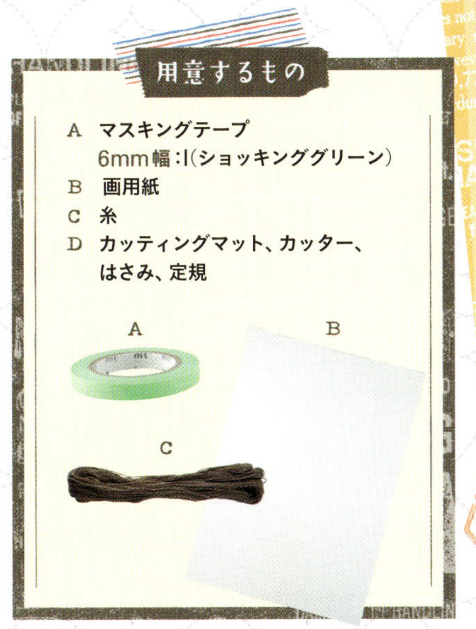

Tips
紙でくるんだだけなのにこんなにかわいい！
画用紙は、表から少しクッキーが見えるサイズにするのがポイントです。

1

包みたいものに合わせて画用紙を長方形に切ります。ここではクッキーが7cm×7cmなので、7cm×13.5cmに切ります。縦は包むものの大きさ、横は包んだときに少し中が見えるくらいの大きさにします。

2

マスキングテープを等間隔に貼っていきます。

3

画用紙で左右からクッキーを包み、100cmに切った糸を十字に渡して中央で蝶結びします。

chapter2 プチギフト×マスキングテープ

Check!

仕上げの糸は2重のクロスに！

糸は、いったん中央で十字にし、さらに糸を上下左右にかけて２重の十字にします。中央で固結びしてから蝶結びを。

透明カップにマステをデコして 即席ギフトボックスのできあがり♡

Level ✱✱✱✱✱

ちぎったマステでデコしたカップに
甘いお菓子をたっぷり詰め込んで。
ちょっとしたお礼や励ましにぴったりの
キュートでおいしいプレゼント☆

用意するもの

A マスキングテープ
15mm幅：アーガイル・グリーン、方眼・くさ、方眼・銀、ダイヤ・ビリジアン
7mm幅：若苗
B 透明カップ
C OPP袋（A5サイズ）
D カッター、はさみ、定規、油性ペン

Tips
袋の上部をマステでぎゅっとまとめ、リボン風に長めに残したところにメッセージを書き添えて。

1

15mmのマスキングテープを透明カップに貼ります。透明カップの上部は少し空け、マスキングテープはちぎって貼っていきます。

2

2本ずつ、等間隔に貼り終えたら、7mm幅のマスキングテープを隙間に貼っていきます。透明カップにプレゼントを入れます。

3

2をOPP袋の中に入れ、口を絞って7mm幅のマスキングテープで巻きます。マスキングテープの接着面を5～6cm貼り合わせ、端を逆V字に切り、油性ペンでメッセージを書きます。

Check!

ちぎったニュアンスを大事に

ちぎった質感がかわいいのもマスキングテープならでは。全体の高さは合わせつつ、ランダム感が出るように貼ってみましょう。

クッキングペーパーとマステで簡単おしゃれな「見せるラッピング」♪

Level ★★★★★

かわいいお菓子やお土産は
「見せるラッピング」で
おしゃれに包みましょ。
太めのマステを縦に貼ったら、
細マステを横にクロスさせて
アクセントに。

用意するもの

A　マスキングテープ
　30mm幅：ドロップ･ラベンダー
　6mm幅：twist cord A（グリーン系）
B　クッキングペーパー
C　カッティングマット、カッター、定規

Tips

フォルムがかわいいフルーツキャンディやチョコレートなどを、うっすらと透けて見えるラッピングでおしゃれにプレゼント♪

1

クッキングペーパーを30cm×15cmに切ります。縦に半分に折って折り線をつけます。

2

1の折り線に向かって両端を谷折りします。その上から30mm幅のマスキングテープを縦に貼ります。

3

2の内側にプレゼントを入れます。上下を折り、下の紙端に上の紙端を入れ込みます。6mm幅のマスキングテープを横に貼ります。

Check!

太幅マステはしっかりめに貼りつけて！

クッキングペーパーはマステがやや接着しづらいので、しっかりめにこすって貼りましょう。プレゼントを入れたら上下の紙端を入れ込んで。

キッズサイズがかわいい☆
茶封筒で持ち手付きバッグを作ろう♪

Level ★★★☆☆

茶封筒で作るバッグは
持ち手とマチが付いた優れもの！
いろんなお菓子をアソートにしてプレゼントしたり、
ハロウィンのキャンディ集めにも。

用意するもの

A マスキングテープ
15mm幅：ボーダー・ピーチ
7mm幅：人参、ひまわり、ワイン、
サーモンピンク
（他に白など目立たない色のマステを用意）
B 封筒（長形3号）
C カッティングマット、
カッター、はさみ、
クラフトはさみ、定規

Tips

封筒から作るから、こんなマチ付きのバッグも簡単☆　ふちはスカラップ型のクラフトはさみで切ってかわいらしく。

1

封筒の下部11.5cmをカッターで切ります。上部は使いません。切り口をクラフトはさみで切ります。下の「Check！」を参考にしてカッターで浅く折り目を入れます。

2

カッティングマットの上に1を置き、目盛りを参考にしながら7mm幅のマスキングテープを等間隔に貼っていきます。裏側にも貼ります。

3

2を折り、マチは下に折り込んで目立たない色のマスキングテープで止めます。P.28を参照して15mm幅のマスキングテープの接着面を貼り合わせ、20cmの帯状にします。袋の左右の内側に、目立たない色のマスキングテープで止めます。

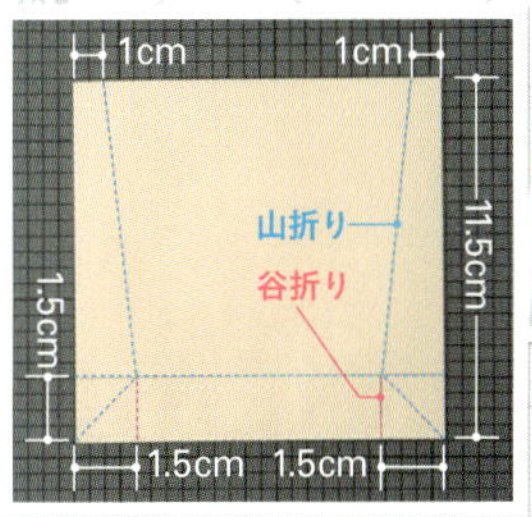

Check!

折り目の入れ方とマチの処理

マチは底に向かって折り、目立たない色のマスキングテープで留めます。余った封筒の上部はP.34の作品に使えます。

お菓子をいっぱい詰め込んで♡
紙コップとマステ使いのギフトボックス

Level ✱✱✱✱✱

2 つの紙コップを重ね合わせて
あっという間に簡単ギフトボックスのできあがり。
ふたになる方の紙コップには
太さの違うマステをセンスよく貼って♪

用意するもの

A マスキングテープ
15mm幅：ストライプ・ピンク、ベージュ、ドット・グレー
6mm幅：l（ショッキングレッド）
B 紙コップ
C 麻ひも
D はさみ、定規

Tips
紙コップが2個あればできちゃうお手軽ギフト☆ 麻ひもやリボンをかけたり、透明な袋に入れてラッピングしてもカワイイ！

1
紙コップを2個用意し、片方は下部5cmをはさみで切ります。上部は使いません。切り口にドット・グレーのマスキングテープを貼ります。

2
もう片方の紙コップに15mm幅のマスキングテープを貼ります。2本ずつ、等間隔に貼り終えたら、6mm幅のマスキングテープを隙間に貼っていきます。

3
1にプレゼントを入れ、2でふたをします。麻ひもを十字にかけ、上部で蝶結びします。

Check!

仕上げのひと手間で見た目のかわいさUP

マスキングテープの端はカッター等で紙コップのふちの内側に入れ込んで。切りっぱなしよりも美しい仕上がりになります。

マステで作ったバッグ風ギフトで ミニスイーツをおすそ分け☆

Level ＊＊＊＊＊

クッキーなどの焼き菓子を入れて折って、
マステでぐるりと一周。
細いリボンを通すだけのミニバッグで
ミニスイーツのギフトが完成☆
中央にあしらったマステがアクセント。

Tips

三角のふたのついたバッグ風ギフト。サテンリボンとマステの柄との組み合わせで、かわいくも大人っぽくも作れちゃう！

1

OPP袋の中にプレゼントしたいものを入れます。袋の上部の左右をそれぞれ三角に折り下げます。

2

1で折った部分をさらに折り下げます。マスキングテープを縦に一周貼ります。

3

30cmに切ったサテンリボンを2で折った部分の内側に通し、端を固結びします。

Check!

マステの処理は袋の裏側で

マスキングテープはOPP袋の表側から縦にまっすぐ貼り、マスキングテープの端は裏側で重なるようにします。

chapter2 プチギフト×マスキングテープ

Lesson 2

折り紙で作る星の折り方

1

折り紙の下端を上端へ折り上げて横に半分にします。

2

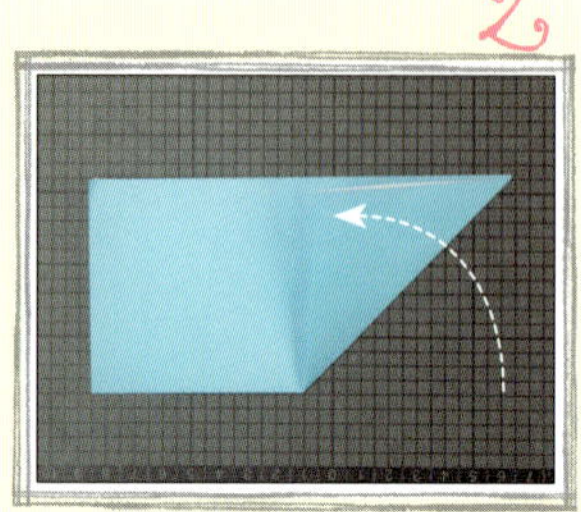

右端下を中央へ山折りします。

3

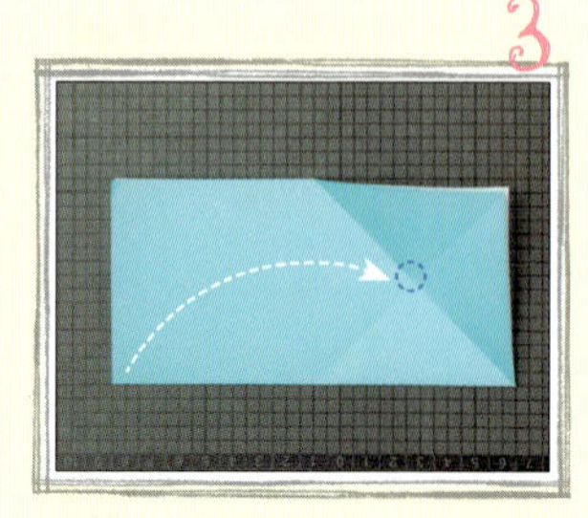

同様に右端上を中央へ山折りし、×印の折り跡がついたところ。左端下を、×印の中央へ向けて山折りします。

4

赤い線の辺を、黄色の辺に揃えるように谷折りします。

5

右端下を、白線に揃えるように山折りします。

6

点線の部分を山折りします。

7

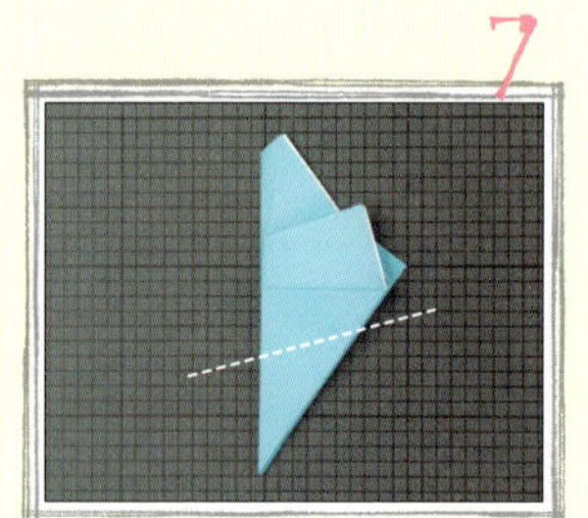

点線の部分をはさみで切ります。切り取った下部のみを使います。

8

切り取った下部を広げたところ。中心に向けて長い辺を山折り、短い辺を谷折りし、形を整えます。

9

できあがり。

chapter 3

おうち時間
×マスキングテープ

大切な人のお祝いや、みんなが集まるイベントに！
マステを使って、ひと味違う飾りつけやおもてなし。
部屋を彩る風船やフラッグ、スナップが盛り上がる
フォトプロップスやクラウン、カトラリーまで……
作る時間も楽しんで、パーティーを賑やかに華やかに。
BBQやピクニックでもいかせるアイデアもいっぱい☆

マステだから簡単カワイイ！！ 水玉風船でお部屋をデコレーション♡

Level ＊＊＊＊＊

シンプルな無地の風船に
マステで水玉模様をオン！
一気にパーティーシーンが
華やかでおしゃれな雰囲気に☆

用意するもの

- A　マスキングテープ
  15mm幅：ドットS・金
- B　風船
- C　リボン
- D　カッティングマット、はさみ、
  クラフトパンチ（丸型・直径約2.5cm）、
  クッキングペーパー

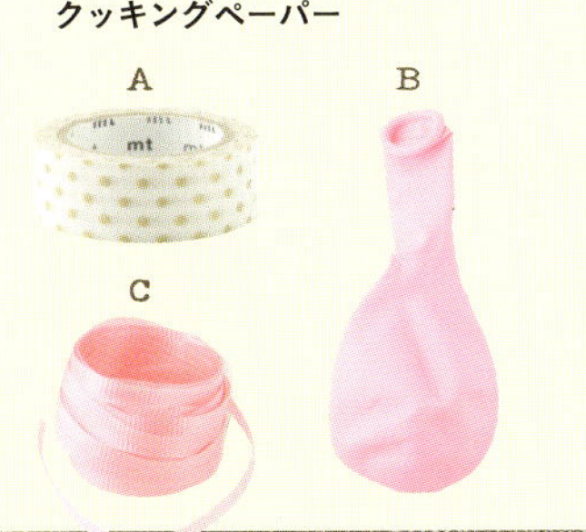

Tips

天井からふわふわと揺れる風船で、お部屋をぱっと明るく！天井からつるすリボンは、風船の結び口にくるりと結んで。

1

クッキングペーパーにマスキングテープを貼ります。少し重ねながら3段程度貼り、裏にも同様に貼ります。

2

1をクラフトパンチで抜きます。

3

2のマスキングテープをクッキングペーパーからはがします。膨らませた風船にマスキングテープをバランスよく貼ります。

Check!

クラフトパンチでマステを抜くときのコツ

クラフトパンチは薄いのものを抜きづらいので、クッキングペーパーには表裏にマスキングテープを貼ります。抜く時は左手で紙をやや引っ張ると抜きやすくなります。

マステとコースターで作る ゆらゆら揺れるモビールがおしゃれ♪

Level ✱✱✱✱✱

丸型のコースターにマステを貼り、
2枚を組み合わせて作るお手軽なモビール☆
1枚を無地、もう1枚は柄入りの
マステをセレクトするのがポイント！

用意するもの

A マスキングテープ
15mm幅：しまさんかく・ピンク、
サーモンピンク
B コースター（丸型・直径約9cm）
C 糸
D カッティングマット、カッター、
はさみ、定規

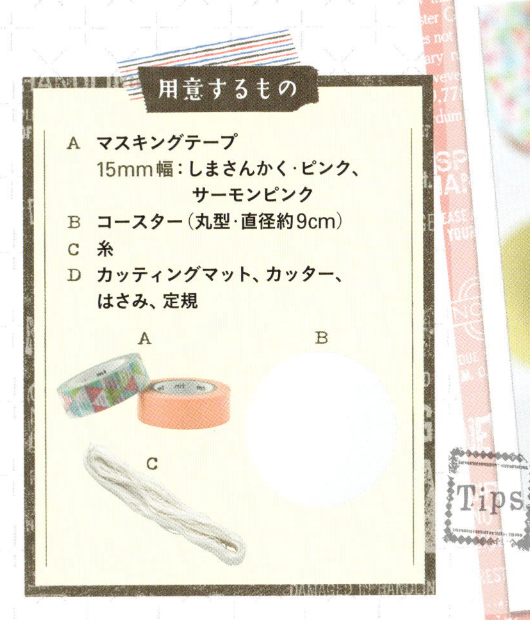

Tips

球体のような丸いモチーフがカワイイ！
マステの柄でバリエーションを楽しんで。
つり下げる数によっても印象が変わります。

1

コースターを2枚用意し、片方に柄入り、もう片方に無地のマスキングテープを貼ります。表裏とも貼ります。

2

カッティングマットの上にコースターを置き、直径の半分にカッターとはさみを使って1mm幅程度の切り込みを入れます。

3

切り込み同士を差し込みます。糸をかけて上部で結びます。

Check!

コースター同士の差し込み方

切り込みは写真のように上と下から差し込んで。差し込みづらいときは切り込みの幅を大きくして調整します。

スナップをぐっとキュートに演出♡
マステが決め手のフォトプロップス

Level ★★★★★

集まったみんなと写真を撮る時に
大活躍のフォトプロップス。
マステを使えば人気のプロップスも
簡単オシャレに作れちゃいます☆

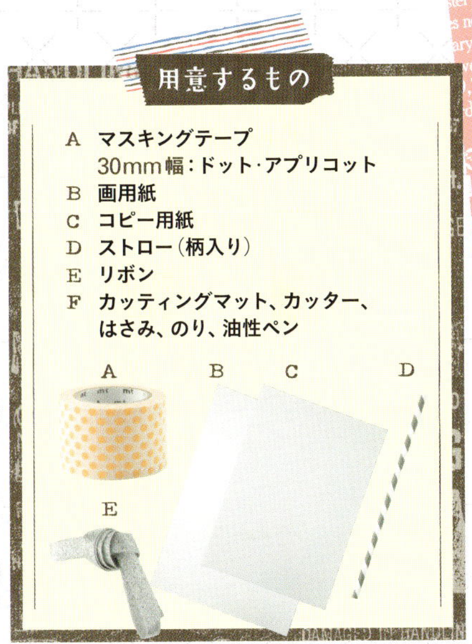

用意するもの

- A マスキングテープ
  30mm幅：ドット・アプリコット
- B 画用紙
- C コピー用紙
- D ストロー（柄入り）
- E リボン
- F カッティングマット、カッター、はさみ、のり、油性ペン

Tips
ただ写真を撮るだけよりも断然オシャレ♡プロップスには名前や日付、メッセージなどを自由に書き込んで。

1
P.92～93の図案をコピー用紙にコピーします。図案の上にマスキングテープを貼ります。

2
1に油性ペンでメッセージを書きます。1と画用紙を重ねて、はさみで一緒に図案を切ります。

3
画用紙にのりを塗り、1と画用紙の間にストローをはさんで貼り合わせます。リボンを結びます。

chapter3
おうち時間×マスキングテープ

Check!

スティックのりを使って仕上がりをきれいに☆

手順3ではシワを防ぐためにスティックのりを使いましょう。たっぷりめに塗り、ストローをはさんだら素早く貼り合わせて。

マステで作るフラッグを飾れば華やかさがクラスアップ☆

Level ★☆☆☆☆

壁やドアをセンスよく飾りたいなら
マステ使いのフラッグがおすすめ。
いくつかの色をセレクトして段々にしても素敵だし、
長めに作って部屋中を飾ってもgood！

用意するもの

A　マスキングテープ
　30mm幅：ボーダー・珊瑚
　15mm幅：ボーダー・ピーチ、
　　ドット・ピンク、
　　サーモンピンク、ストライプ・ピンク
B　糸
C　カッティングマット、はさみ、油性ペン

Tips

簡単におしゃれ感と賑やかさがUPするフラッグ使い。太幅のマステを使えばさらに大きなフラッグを作ることも可能☆

1

糸を飾りやすい長さに切り、左右をマスキングテープで仮止めします。

2

P.28を参照してマスキングテープの接着面を糸をはさんで貼り合わせ、5cm～8cmの帯状にします。他のマスキングテープも同様にして糸に貼り合わせます。

3

2の端を逆V字に切り、マスキングテープに油性ペンでメッセージを書きます。

Check!

フラッグの長さは あえてランダムに

手順3でマスキングテープの端を切るときは、あえて長さがランダムになるように意識してみましょう。

マステと折り紙で作るカラフルループはどこから見てもとびきりキュート！

Level ＊＊＊＊＊

折り紙の色と、マステの柄とが
華やかな印象を作ってくれるカラフルループ。
お気に入りの柄のマステを使って
おしゃれにおもてなし。

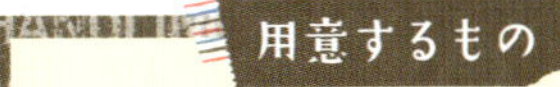

用意するもの

A　マスキングテープ
15mm幅：モチーフ·花、
　モチーフ·ハート、モチーフ·星、
　カラフル·ボーダー、
　カラフル·ストライプ
B　折り紙（15cm角·5色）
C　カッティングマット、カッター、
ホチキス、定規

Tips

マステの柄が印象を左右するカラフルループ。賑やかなパーティーなら多色使いに、シックな会なら落ち着いた同系色でまとめてみても。

1

折り紙の、色のついていない面にマスキングテープを貼ります。

2

マスキングテープの幅に沿ってカッターで折り紙を切ります。他の折り紙も同様にマスキングテープを貼り、切ります。

3

2を輪にし、ホチキスで止めます。マスキングテープの面を表裏変えながら同様に輪をつないでいきます。

Check!

ループをつなぐときはホチキスで！

のりやセロハンテープを使うよりも、ホチキスで留める方が早くしっかりとつなげられておすすめです。

簡単なのにとってもかわいい！ マステで星の壁飾りを作ろう♡

Level ★★★★★

折って切って作る星のモチーフに
お気に入りのマステをオン！
カラフルでとびきりゴージャスな
壁飾りがとても簡単にできちゃいます。

用意するもの

A　マスキングテープ
15mm幅：ストライプ・シルバー
B　折り紙（15cm角）
C　カッティングマット、カッター、ホチキス、定規

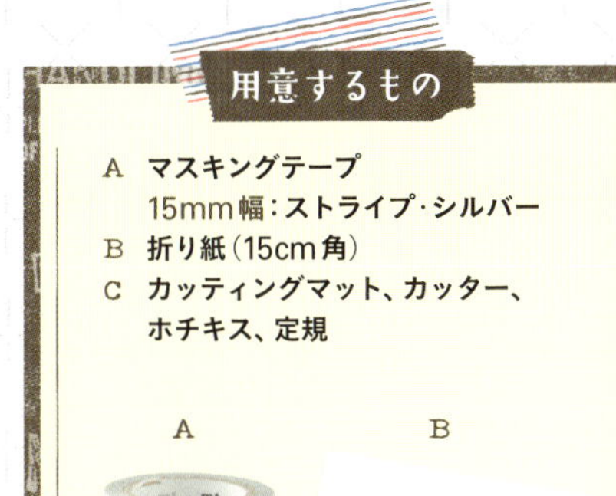

Tips
壁に飾るときは、モチーフの裏にまるめたマステを貼って接着するのがお手軽。リボンでループをつけるのもおすすめです。

1

P.66を参照して星を折ります。

2

折り線で区切られた部分にマスキングテープを貼ります。はみ出した部分はカッターをごく浅く当てて切り取ります。

3

折り線に沿って山折り、谷折りし、形を整えます。

Check!

カッターは軽く線を引くイメージで

手順2では、カッターをごく浅く当ててマスキングテープを切り取るのがポイント！はみ出したマステが綺麗にはがせます。

今日の主役はだれ？ マステで華やかクラウンを手作り☆

Level ＊＊＊＊＊

バースデーの子の頭の上につけたり、
スナップを撮る時にかぶったりと
いろいろ活躍してくれるクラウン♪
マステを表裏に貼ることで華やかになり、
形もしっかりとします。

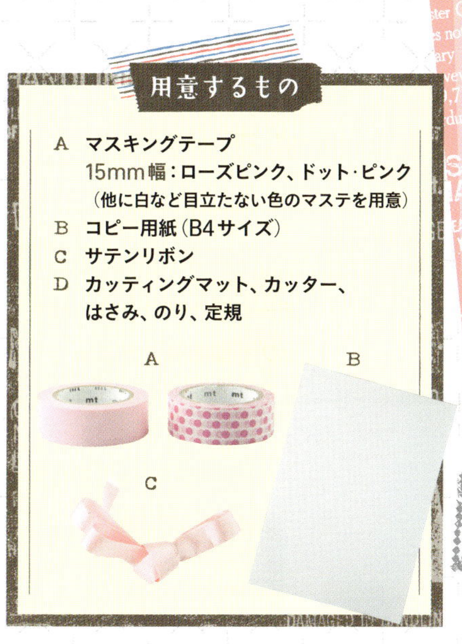

用意するもの

A　マスキングテープ
15mm幅：ローズピンク、ドット・ピンク
（他に白など目立たない色のマステを用意）
B　コピー用紙（B4サイズ）
C　サテンリボン
D　カッティングマット、カッター、はさみ、のり、定規

Tips
ミニサイズのクラウンだから、大人はもちろんこどもにつけても OK。内側からリボンをつければより機能的に。

1

P.95の図案をコピー用紙に拡大コピーし、図案通りに切ります。

2

ローズピンクのマスキングテープを、クラウンの上下の角に合わせて縦に貼ります。空いた部分にドット・ピンクのマスキングテープを重ねるようにして貼ります。裏にも貼ります。

3

のりしろにのりをつけ、輪にします。目立たない色のマスキングテープで、左右の内側にサテンリボンを貼ります。

chapter 3
おうち時間×マスキングテープ

Check!

製図をして作っても OK！

このサイズ通りにコピー用紙に製図し、切り取って使いましょう。

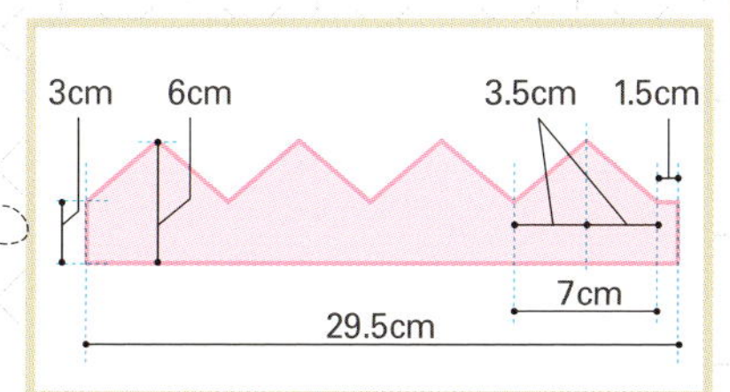

マステだからこその華やかさ！ テーブルを彩るゴージャスピック☆

Level ★★☆☆☆

ケーキやドーナツの上に挿して
テーブルを賑やかに彩る大きめピック。
マステならではのツヤ感と柄を活かして
センスあるピックを手作りしましょ♡

用意するもの

A　マスキングテープ
15mm幅：ボーダー･イエロー、ドット･アプリコット
7mm幅：ひまわり
6mm幅：twist cord C（金系）、deco C（金系）

B　竹串

C　はさみ、定規、油性ペン

Tips

太さの違うマステが5本ついた華やかピック♡　ちょこっとメッセージを書き入れられるのも嬉しいポイント。

1

P.28を参照して、マスキングテープの接着面を竹串をはさんで貼り合わせ、4.5cm ～ 6cmの帯状にします。

2

上から順に7mm、15mm、6mm、6mm、15mmのマスキングテープを貼ります。

3

2の端を逆V字に切り、マスキングテープに油性ペンでメッセージを書きます。

Check!

細幅のメタリックマステを有効活用☆

メタリックカラーのマスキングテープが全体をきりっと引き締めてくれます。キラキラ感がパーティーにぴったり！

かわいいミニミニピックは いろんな色のマステでいっぱい作ろ♡

Level ✱✱✱✱✱

つまようじとマステで作るミニピックは
マカロンやパイにちょこっと乗せるのがカワイイ！
クラフトパンチを使えば
さらに簡単に作れちゃいます。

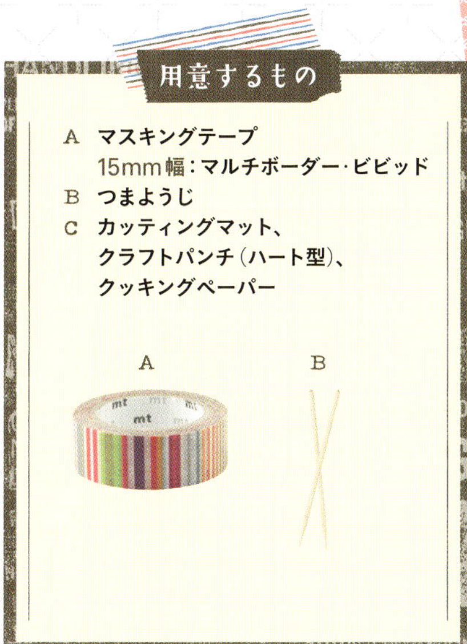

Tips

ひとつ挿すだけでお皿がキュートに大変身! ハート以外の形や、マステならではのかわいい柄でいろいろ作って♪

1

クッキングペーパーにマスキングテープを貼ります。少し重ねながら3段程度貼り、裏にも同様に貼ります。

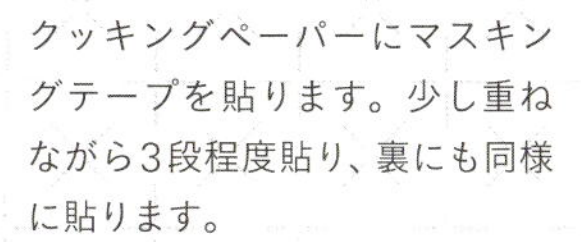

2

1をクラフトパンチで抜きます。

3

2のマスキングテープをクッキングペーパーからはがします。つまようじの上部をはさんでマスキングテープを貼り合わせます。

Check!

クラフトパンチで抜いたマステをはがす裏技

マスキングテープがしっかりと接着している場合は、カッターの刃をキッチンペーパーとの間に差し込んではがしましょう。

自分印にぴったり！
紙皿とカトラリーはBBQにも

Level ★☆☆☆☆

自分のお皿やカトラリーがひと目で分かる
マステ使いの食器たち。
特別なテクニックは一切不要、
貼るだけで作れるパーティーアイテムです♪

用意するもの

A　マスキングテープ
　　15mm幅：ストライプ・ミント
B　紙皿
C　木のカトラリー（スプーン、フォーク）
D　カッティングマット、カッター、
　　はさみ、定規

Tips

マステを使ってカトラリーセットを楽しく手作り☆　マステを貼った紙皿に料理を乗せるときはグラシン紙などを引いて。

紙皿

紙皿の中心にマスキングテープを貼ります。等間隔に貼っていき、端は裏に折り込みます。

カトラリー　1

カトラリーの持ち手の長さを測っておきます。紙皿と同じ柄のマスキングテープをカッティングマットに2本貼り、貼りたい長さに合わせてカッターで切ります。

2

カトラリーに1のマスキングテープを貼ります。はみ出た部分は横に折り込み、しわにならないように仕上げます。

Check!

等間隔にマステを貼りたいときは

別色のマスキングテープを短く切り、片方の端を少し折り返しておきます。これを目印にして、はさむように貼っていくと便利です。

マステ使いの紙コップは ポップで大きな水玉がポイント♪

Level ★★★★★

自分印にもなって、その上かわいい！
マステの水玉がポイントの紙コップ。
P.86の紙皿やカトラリーと
お揃いのマステを使えば、
さらに機能的に♡

用意するもの

A マスキングテープ
15mm幅：ラベンダー
B 紙コップ
C カッティングマット、
クラフトパンチ（丸型・直径約2.5cm）、
クッキングペーパー

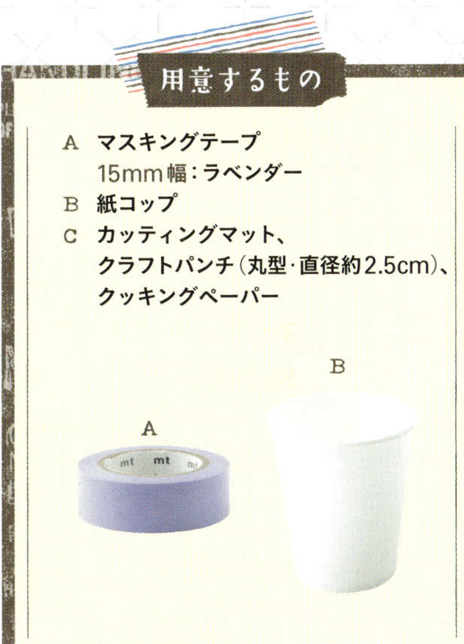

Tips
マステで作る大きい水玉がかわいい♪
クラフトパンチを使えば、綺麗な丸型のマステも簡単にたくさん作れます。

1

クッキングペーパーにマスキングテープを貼ります。少し重ねながら3段貼り、裏にも同様に貼ります。

2

1をクラフトパンチで抜きます。

3

2のマスキングテープをクッキングペーパーからはがします。紙コップにマスキングテープを貼ります。

Check!

水玉模様を貼るときのポイント

水玉模様がランダムになるように意識しながら、口にマステが当たらないよう、水玉はふちよりやや下に来るように貼ります。

マステで作るシンプルな花瓶も インナーペーパーで華やかに変身♡

Level ＊＊＊＊＊

お部屋のあちこちに飾って
華やかさを演出するフェイクフラワーには
マステで作るインナーペーパーをプラス。
花瓶の内側をすっきりとかわいらしく☆

用意するもの

A　マスキングテープ
　30mm幅：重ねるテープ・くま＆りす、図鑑・動物
　20mm幅：flower
　15mm幅：スピログラフ、Number pink R、プール・オレンジ、choucho・yellow
B　折り紙（15cm角）
C　カッティングマット、カッター

Tips
花瓶の内側をおしゃれに目隠ししてくれるインナーペーパー。お気に入りのマステをランダムに貼るだけでもかわいい。

1

カッティングマットの上に、色のついていない面を上にして折り紙を置きます。

2

色やデザインのバランスを考えながらマスキングテープを貼っていきます。

3

マスキングテープを貼った面を外側にして花瓶に差し込みます。

Check!

インナーペーパーの差し込み方

折り紙を使ったインナーペーパーは裏側も華やかなので、花瓶には少し斜めに差し込んで裏側が見えるように使うとおしゃれです。

P.72 フォトプロップスの実物大図案

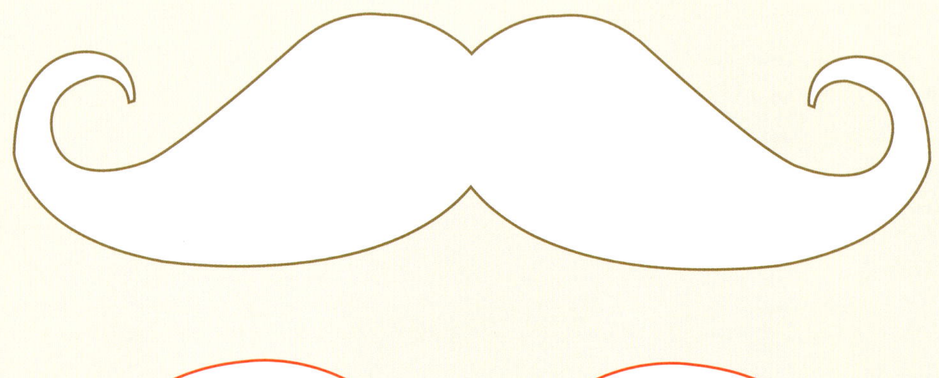

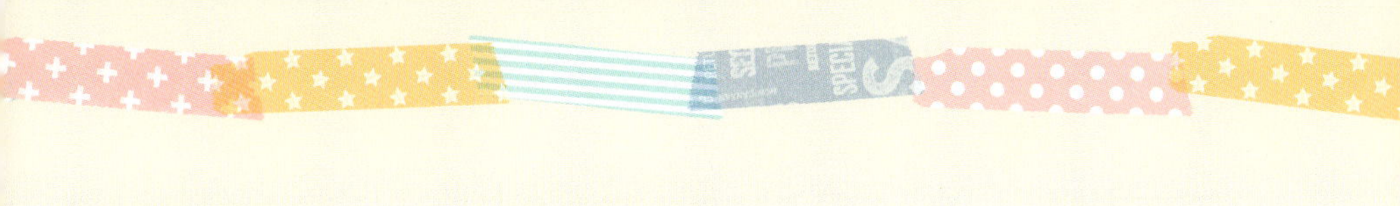

P.36 ミニ封筒の実物大図案

切り取る

折り線

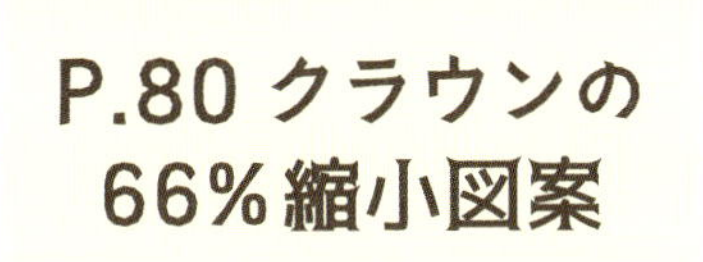

（用紙をB4に指定し、
151%に拡大してご使用ください）

のりしろ

作品制作

森 珠美(もり たまみ)

1978年生まれ。早稲田大学卒業。小さなころから手作りに興味を持ち、出版社勤務を経たのち独立し、ハンドメイドをはじめとする書籍の編集・執筆、プロデュースを手がける。共著・監修に『ぐるぐる編みの小さなかごと雑貨』(パッチワーク通信社)『素敵にアレンジ　マスキングテープをもっと楽しむ本』『マスキングテープで楽しむ すてきな紙雑貨と文房具』(共にメイツ出版)。

http://www.officeforet.com

STAFF

撮影　牧野美保

デザイン　小倉奈津江(Yuivie D.S.)

佐々木麗奈

編集　Office Foret

フィグインク

マスキングテープ提供

カモ井加工紙株式会社

岡山県倉敷市片島町236

☎ 086-465-5812

マスキングテープの購入はこちらから

https://shop.masking-tape.jp/

マステで素敵にアレンジ 楽しいギフトと飾りつけ

簡単ラッピング&おうち時間のアイテム

2022年1月15日　第1版・第1刷発行

作　品　森珠美（もりたまみ）

発行者　株式会社メイツユニバーサルコンテンツ

代表者　三渡 治

〒102-0093 東京都千代田区平河町一丁目1-8

印　刷　株式会社厚徳社

 ISBN978-4-7804-2545-1 C2077 Printed in Japan.

ご意見・ご感想はホームページから承っております。

ウェブサイト http://www.mates-publishing.co.jp/

編集長：折居かおる　企画担当：折居かおる

※本書は2016年発行の『マステで素敵にアレンジ楽しいギフト&おもてなし』を元に、内容の一部を加筆修正・再編集し、書名を変更して再発行したものです。